A-Z STEV

CONTENT

REFERENCE

Motorway	A1(M)	**Car Park** Selected	P
A Road	A602	**Church or Chapel**	†
Under Construction		**Cycle Route**	
B Road	B656	**Fire Station**	■
Dual Carriageway		**Hospital**	H
One-way Street Traffic flow on A Roads is indicated by a heavy line on the driver's left.	→	**House Numbers** A & B Roads only	94 / 11
Restricted Access		**Information Centre**	i
Pedestrianized Road		**National Grid Reference**	525
Residential Walkway		**Police Station**	▲
Track		**Post Office**	★
Footpath		**Toilet**	▽
Local Authority Boundary		**with facilities for the Disabled**	♿
Postcode Boundary		**Educational Establishment**	
Railway	Station	**Hospital or Hospice**	
Built-up Area	WEST LA	**Industrial Building**	
		Leisure or Recreational Facility	
		Place of Interest	
Map Continuation	10	**Public Building**	
		Shopping Centre or Market	
		Other Selected Buildings	

SCALE

1:15,840   4 inches to 1 mile   6.31 cm to 1 km   10.16 cm to 1 mile

0	¼	½	¾	1 Mile

0	250	500	750	1 Kilometre

Copyright of Geographers' A-Z Map Company Limited

Head Office:
Fairfield Road, Borough Green, Sevenoaks, Kent TN15 8PP
Telephone: 01732 781000 (Enquiries & Trade Sales)
01732 783422 (Retail Sales)
www.a-zmaps.co.uk

Copyright © Geographers' A-Z Map Co. Ltd.

Ordnance Survey® This product includes mapping data licensed from Ordnance Survey® with the permission of the Controller of Her Majesty's Stationery Office.

© Crown Copyright 2002. All rights reserved.
Licence number 100017302

Edition 2 2002   Edition 2a 2005 (Part Revision)

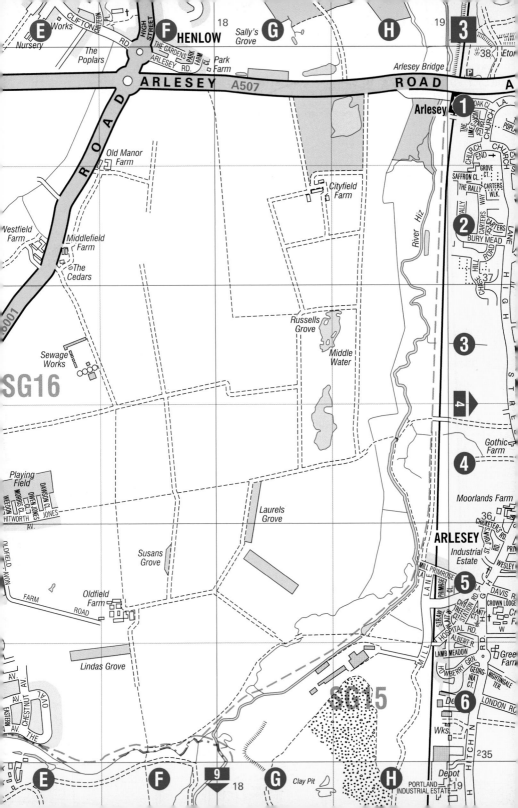

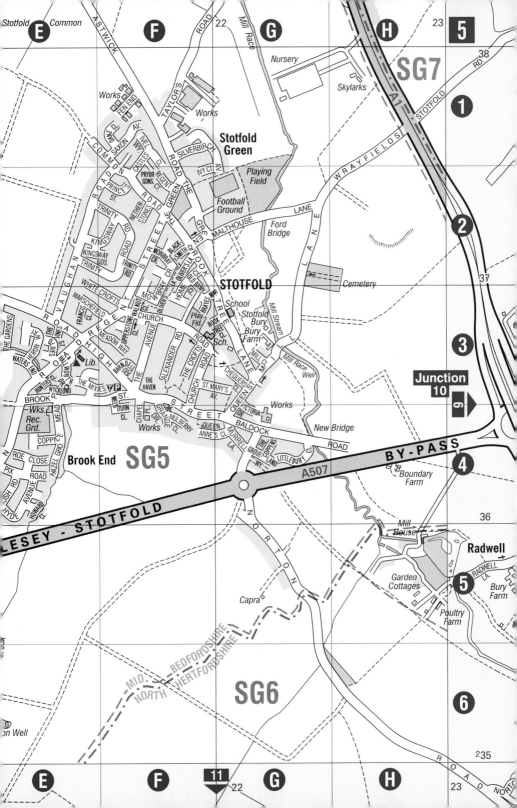

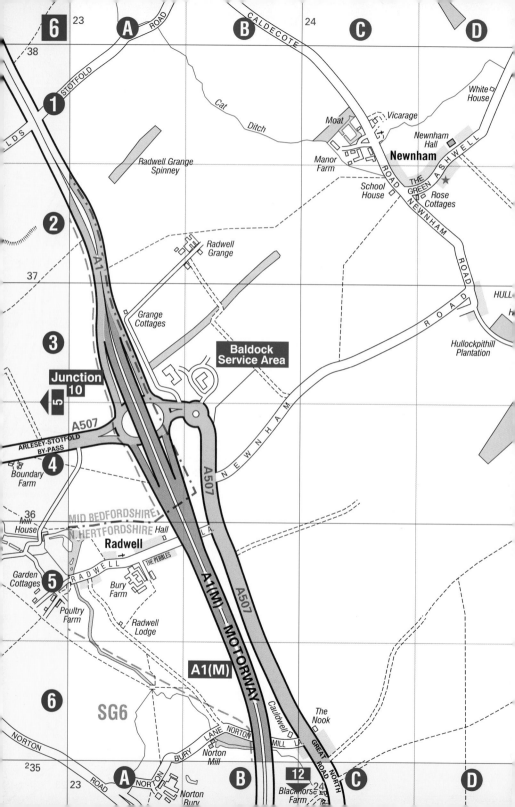

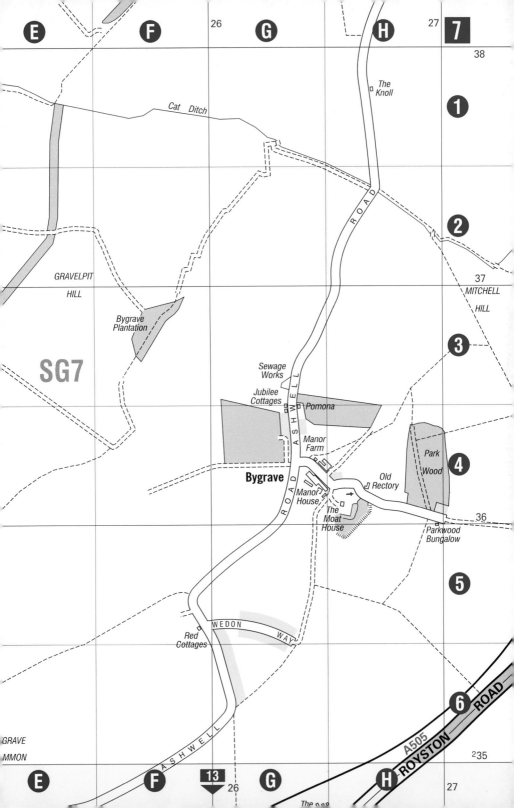

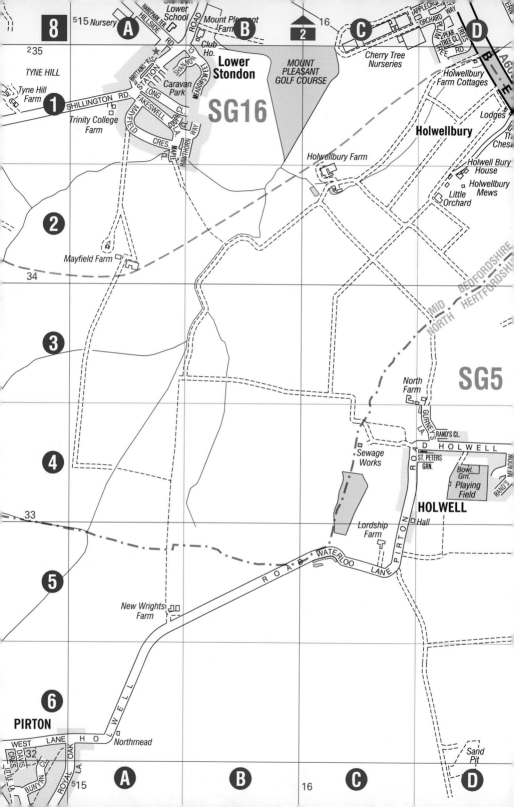

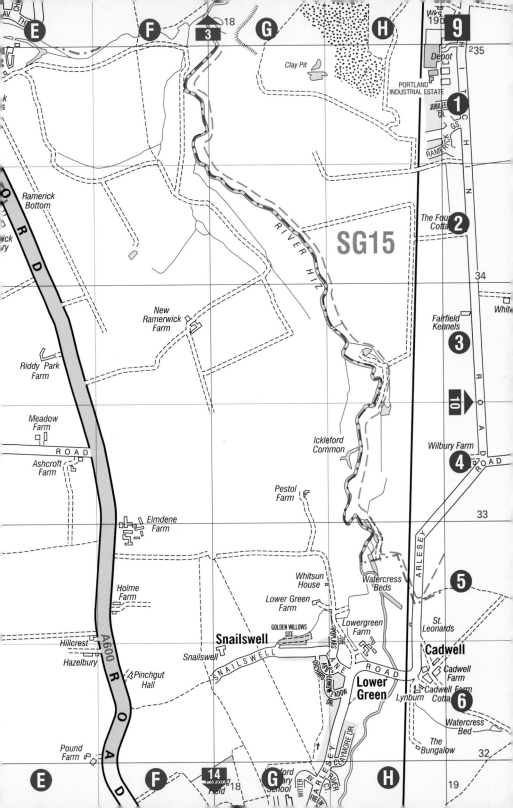

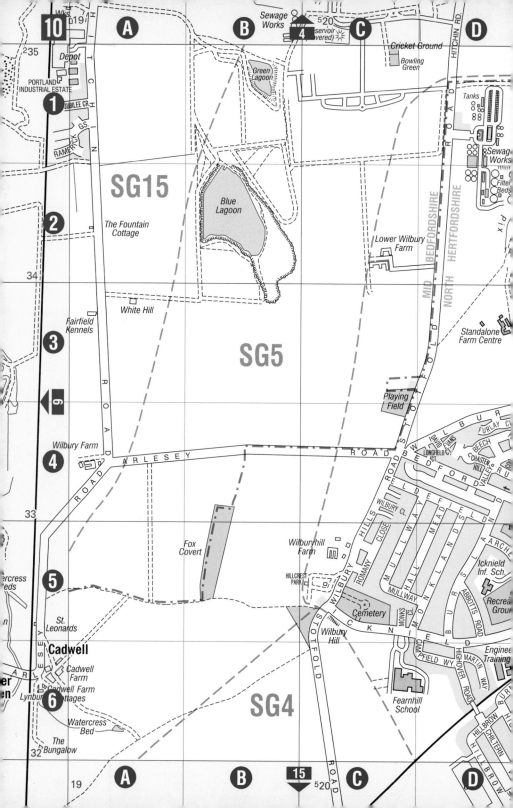

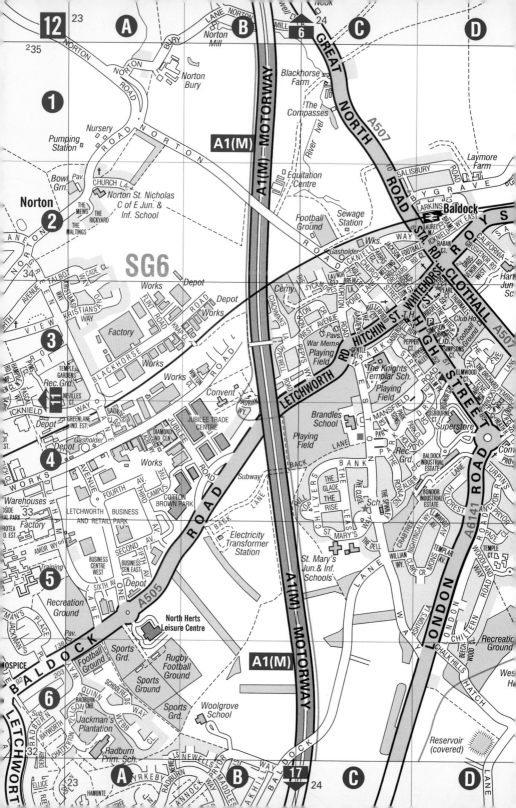

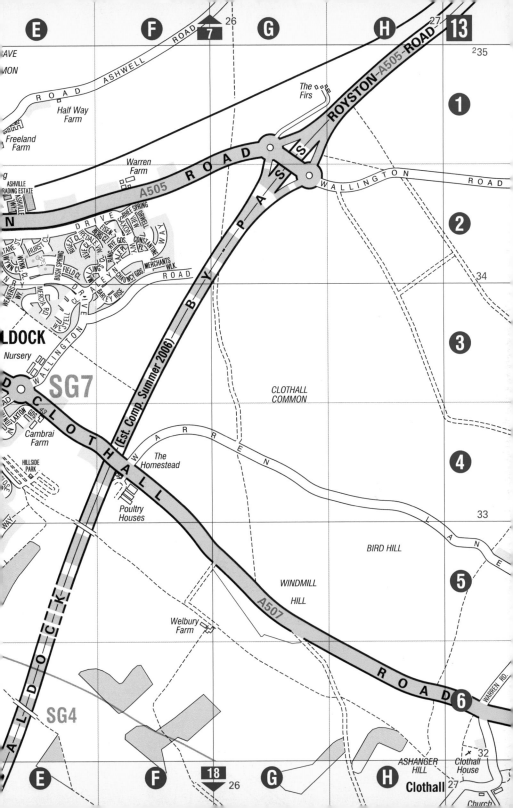

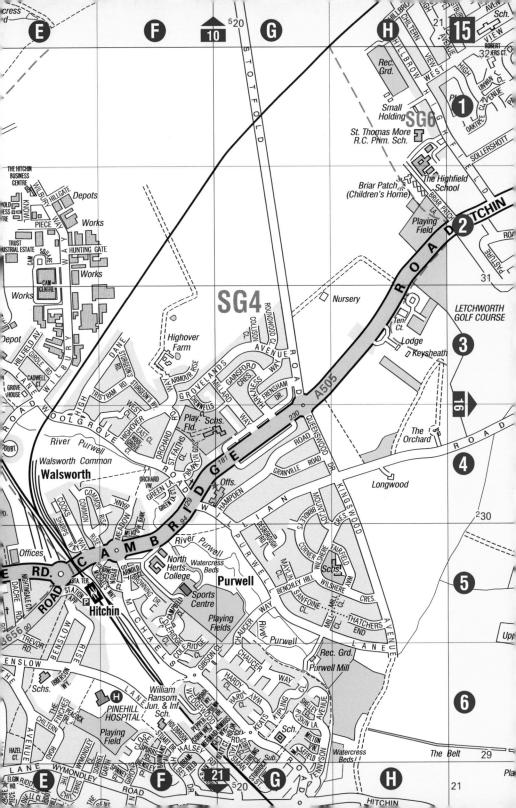

18 525

A B ▲ 26 C D
13

18

COMPASS

32

HATCH

BY-PASS

1

Comp. Summer 2006)

BALDOCK (Est.

ASHANGER
HILL Clot

ASHANG

2

Green
Grove

Bush
Wood

Hickman's
Hill

31

3

LANE

Green
End

Lannock
Cottages

Weston Windmill
(disused)

Darnall's Hall
Farm

SG4

HITCHIN

17

Lannock Manor
Farm

Old
Farm

Water
Tower

Horseshoe
Farm

Oakley's
Farm

Weston
Bury

MILL LANE

4

THE SNIPE
ROAD

THE SNIPE

FRIARS ROAD

WESTON

FORE STREET

BUTTS
GN. STREET

STREET

MINTS MEADOW

Weston
Jun. & Inf.
Sch.

SCHOOL LANE

Bu

Church
End

Works

Vicarage

²30

Town
Farm

MARLBOROUGH
CL.

MEADOW

ROWAN
CL.

WOODLANDS

DAMASK GREEN

MAIDEN ROAD

DAMASK GREEN ROAD

Hall
Manor
House

Recreation
Ground

Cowmead

Glebe
Cottage

CHURCH LANE

5

DAMASK CL.

Pond

**Damask
Green**

Cricket
Ground

Pav.

Park
Lodge

Top
Plantation

6

Park

Wood

Weston Park

Bottom
Plantation

Long Plantation

29

525

A B ▼ 26 C D
24

Bonfield's
Lower

Warrensgreen
Farm

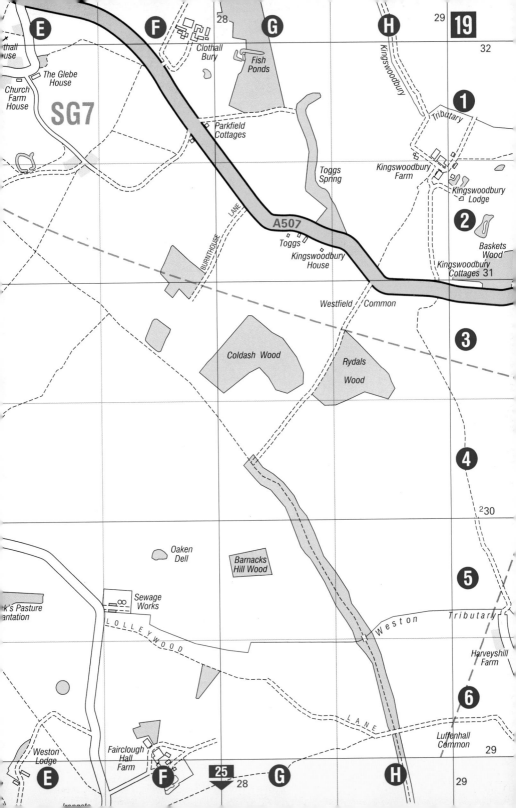

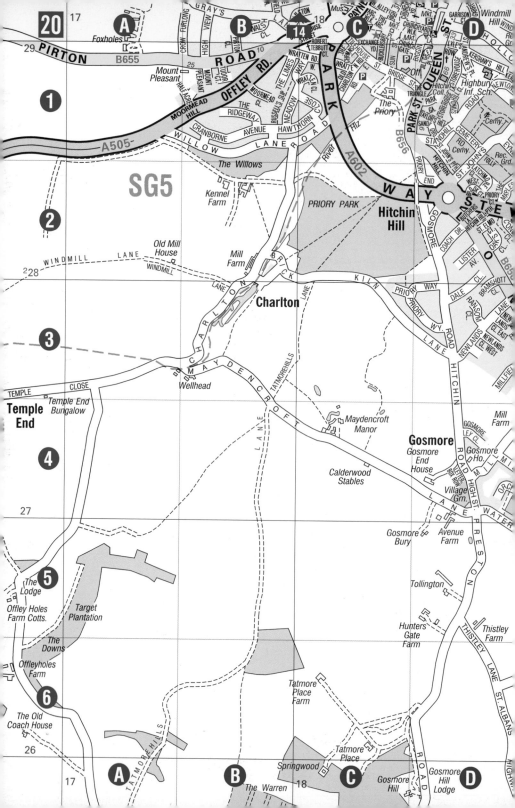

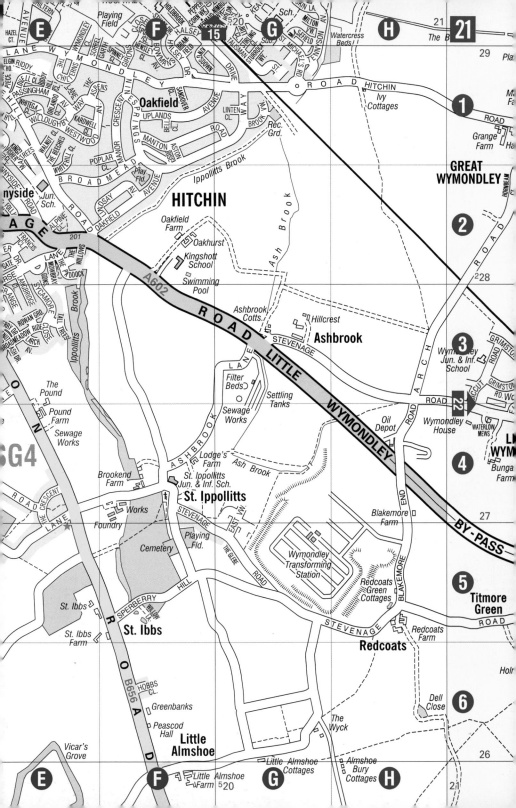

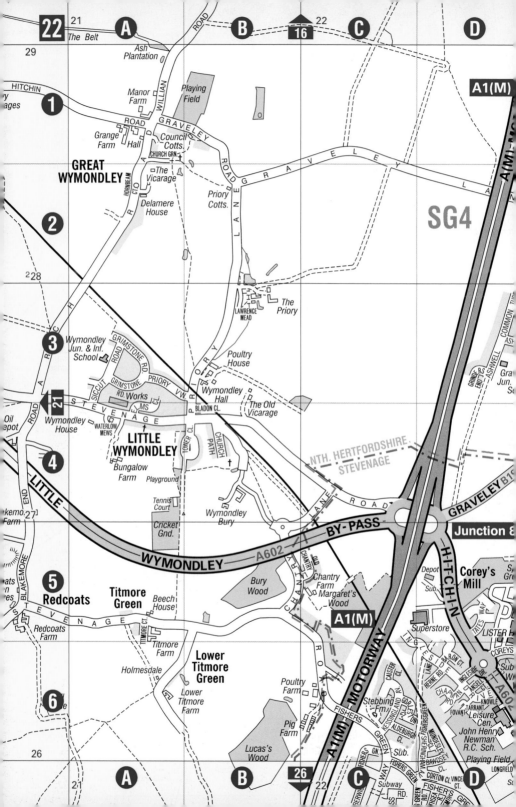

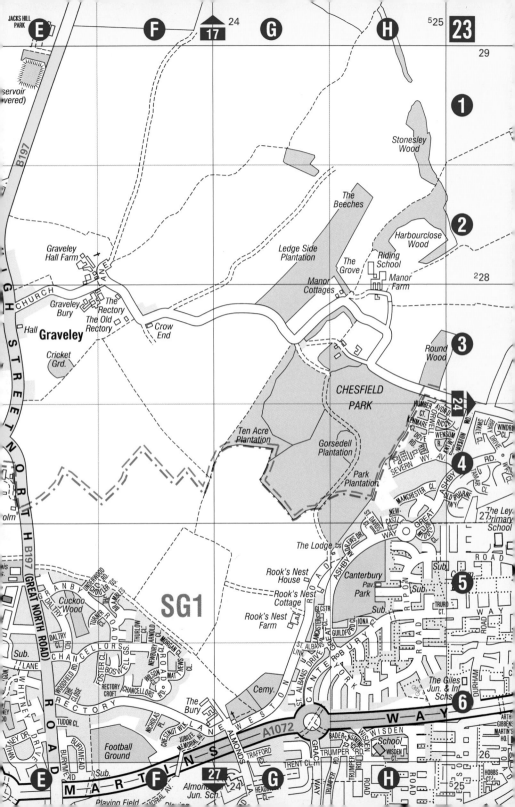

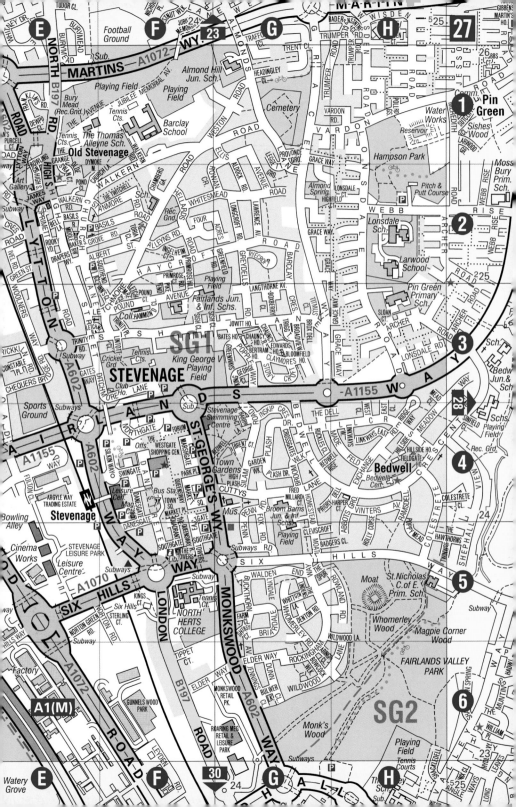

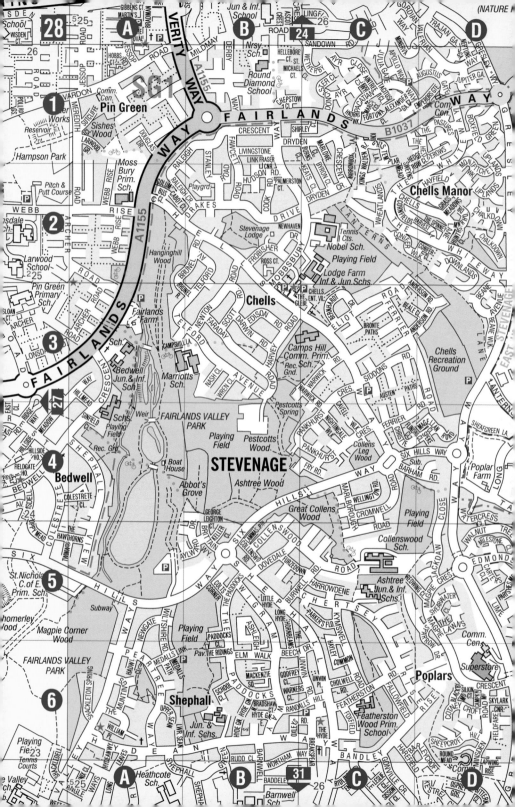

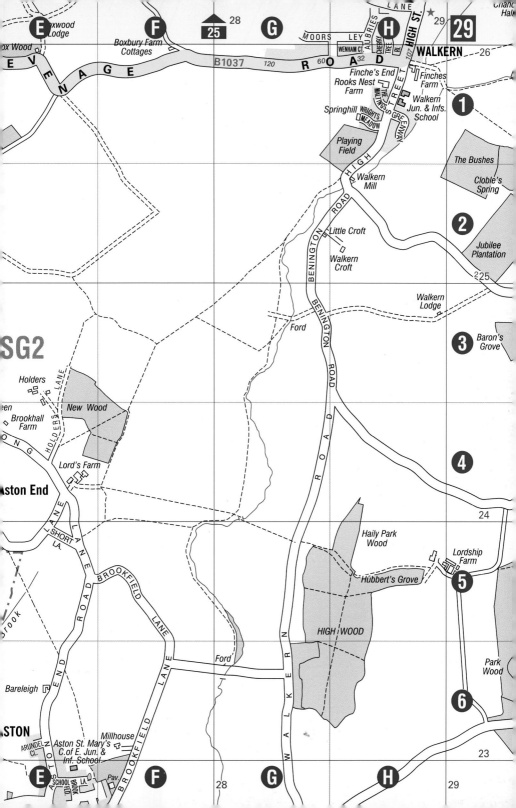

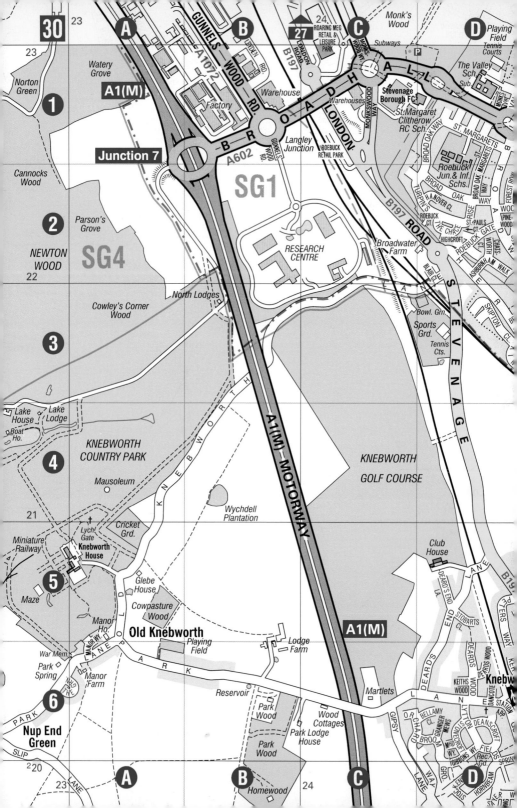

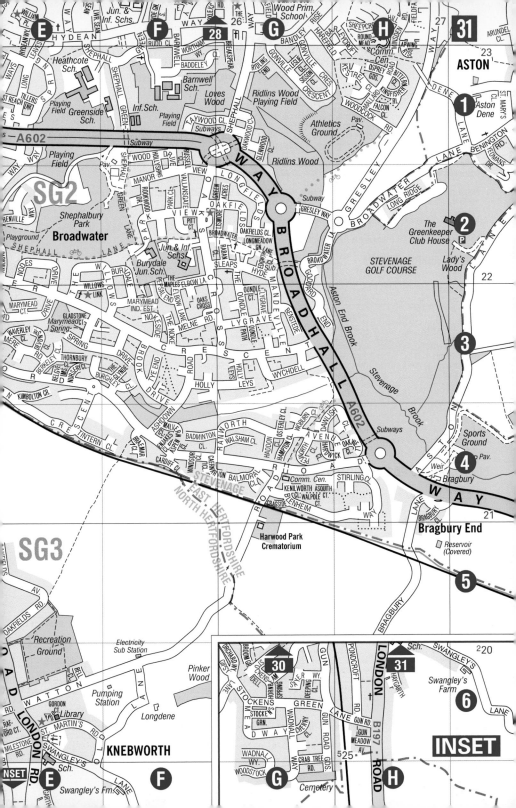

INDEX

Including Streets, Places & Areas, Hospitals & Hospices, Industrial Estates,
Selected Flats & Walkways and Selected Places of Interest.

HOW TO USE THIS INDEX

1. Each street name is followed by its Posttown or Postal Locality and then by its map reference; e.g. Abbotts Rd. *Let* —5D **10** is in the Letchworth Posttown and is to be found in square 5D on page **10**. The page number being shown in bold type.
A strict alphabetical order is followed in which Av., Rd., St., etc. (though abbreviated) are read in full and as part of the street name; e.g. Ash Dri. appears after Ashdown Rd. but before Ashleigh.

2. Streets and a selection of Subsidiary names not shown on the Maps, appear in the index in *Italics* with the thoroughfare to which it is connected shown in brackets; e.g. *Appletrees. Hit* —1C **20** (off Wratten Rd. W.)

3. Places and areas are shown in the index in **bold type**, the map reference to the actual map square in which the town or area is located and not to the place name; e.g. **Baldock. —3D 12**

4. An example of a selected place of interest is Athletics Ground. —1G 31

5. An example of a hospital or hospice is GARDEN HOUSE HOSPICE. —6H 11

GENERAL ABBREVIATIONS

All : Alley
App : Approach
Arc : Arcade
Av : Avenue
Bk : Back
Boulevd : Boulevard
Bri : Bridge
B'way : Broadway
Bldgs : Buildings
Bus : Business
Cvn : Caravan
Cen : Centre
Chu : Church
Chyd : Churchyard
Circ : Circle
Cir : Circus
Clo : Close
Comn : Common
Cotts : Cottages

Ct : Court
Cres : Crescent
Cft : Croft
Dri : Drive
E : East
Embkmt : Embankment
Est : Estate
Fld : Field
Gdns : Gardens
Gth : Garth
Ga : Gate
Gt : Great
Grn : Green
Gro : Grove
Ho : House
Ind : Industrial
Info : Information
Junct : Junction
La : Lane

Lit : Little
Lwr : Lower
Mc : Mac
Mnr : Manor
Mans : Mansions
Mkt : Market
Mdw : Meadow
M : Mews
Mt : Mount
Mus : Museum
N : North
Pal : Palace
Pde : Parade
Pk : Park
Pas : Passage
Pl : Place
Quad : Quadrant
Res : Residential
Ri : Rise

Rd : Road
Shop : Shopping
S : South
Sq : Square
Sta : Station
St : Street
Ter : Terrace
Trad : Trading
Up : Upper
Va : Vale
Vw : View
Vs : Villas
Vis : Visitors
Wlk : Walk
W : West
Yd : Yard

POSTTOWN AND POSTAL LOCALITY ABBREVIATIONS

Arl : Arlesey
Ast : Aston
Ast E : Aston End
Bald : Baldock
B'tn : Benington
Byg : Bygrave
Clot : Clothall
Clot C : Clothall Common
Cro : Cromer
D'wth : Datchworth

Gos : Gosmore
G'ley : Graveley
Gt Wym : Great Wymondley
Henl : Henlow
Hinx : Hinxworth
Hit : Hitchin
Hol : Holwell
Ickl : Ickleford
Kneb : Knebworth
Let : Letchworth

L Wym : Little Wymondley
L Ston : Lower Stondon
Newn : Newnham
Odsey : Odsey
Old K : Old Knebworth
Pir : Pirton
Pres : Preston
Radw : Radwell
St I : St Ippolyts
Shef : Shefford

Shil : Shillington
Stev : Stevenage
Stot : Stotfold
Up Ston : Upper Stondon
Walk : Walkern
W'ton : Weston
W'ian : Willian

INDEX

Abbis Orchard. *Ickl* —6G **9**
Abbots Gro. *Stev* —5H **27**
Abbotts Rd. *Let* —5D **10**
Abinger Clo. *Stev* —6G **27**
Acre Piece. *Hit* —1E **21**
Aintree Way. *Stev* —1C **28**
Alban Rd. *Let* —2E **17**
Albert Rd. *Ast* —5A **4**
Albert St. *Stev* —2E **27**
Aldeburgh Clo. *Stev* —6C **22**
Alder Clo. *Bald* —4C **12**
Aldock Rd. *Stev* —2G **27**
Aldridge Ct. *Bald* —2C **12**
Alexander Ga. *Stev* —1C **28**
Alexander Rd. *Stot* —3F **5**
Alexandra Rd. *Hit* —4D **14**

Aleyn Way. *Bald* —2F **13**
Alington La. *Let* —2B **16**
  (in two parts)
Alleyns Rd. *Stev* —2F **27**
Allison. *Let* —6A **12**
Almonds La. *Stev* —6G **23**
Alpine Clo. *Hit* —2E **21**
Alton Rd. *Henl* —5C **2**
Amor Way. *Let* —5H **11**
Anchor Rd. *Bald* —4D **12**
Anderson Rd. *Stev* —3D **28**
Andersons Ho. *Hit* —5D **14**
Angle Ways. *Stev* —1E **31**
Angotts Mead. *Stev* —3D **26**
Ansell Ct. *Stev* —6D **22**
Apollo Way. *Stev* —1C **28**

Applecroft. *L Ston* —6D **2**
Appletrees. Hit —1C **20**
  (off Wratten Rd. W.)
Arcade, The. *Hit* —6C **14**
Arcade, The. *Let* —5F **11**
Arcade Wlk. *Hit* —6C **14**
Archer Rd. *Stev* —3H **27**
Archers Way. *Let* —5D **10**
Arches, The. *Let* —4G **11**
Arch Rd. *Gt Wym* —3H **21**
Arden Press Way. *Let* —5H **11**
Arena Pde. *Let* —5F **11**
Argyle Way. *Stev* —4E **27**
Argyle Way Trad. Est. *Stev*
  —4E **27**
Arlesey. —5A 4

Arlesey Rd. *Arl & Stot* —2D **4**
  (Hitchin Rd.)
Arlesey Rd. *Arl & Let* —5H **9**
  (Stotfold Rd.)
Arlesey Rd. *Henl* —1F **3**
  (in two parts)
Arlesey Rd. *Ickl* —2C **14**
Arlesey-Stotfold By-Pass. *Arl &
  Stot* —1A **4**
Armour Ri. *Hit* —3F **15**
Arnold Clo. *Hit* —5F **15**
Arnold Clo. *Stev* —5F **23**
Arthur Gibbens Ct. *Stev* —6A **24**
Arundel Clo. *Ast* —6E **29**
Arwood M. *Bald* —3D **12**
Ascot Cres. *Stev* —6B **24**

Cavell Wlk. *Stev* —4C **28**
Cavendish Rd. *Stev* —4C **26**
Caxton Ga. *Stev* —5D **26**
Caxton Way. *Stev* —5D **26**
Cedar Av. *Ickl* —1C **14**
Cemetery Rd. *Hit* —1D **20**
Central Av. *Henl* —6D **2**
Chace, The. *Stev* —2D **30**
Chadwell Rd. *Stev* —5D **26**
Chagney Clo. *Let* —5E **11**
Chalkden Path. *Hit* —5B **14**
Chalkdown. *Stev* —2D **28**
Chalk Fld. *Let* —2E **17**
Chalk Hills. *Bald* —6D **12**
Chambers Ga. *Stev* —2F **27**
Chambers La. *Ickl* —1C **14**
Chancellors Rd. *Stev* —6E **23**
Chantry La. *Hit* —5B **22**
Chaomans. *Let* —2B **16**
Chapel Pl. *Stot* —4F **5**
Chapel Row. Hit —5D **14**
  (off Whinbush Rd.)
Chapman Rd. *Stev* —6D **22**
Chapmans, The. *Hit* —1C **20**
Charlton. —3B 20
Charlton Rd. *Hit* —3B **20**
Chase Clo. *Arl* —1A **4**
Chase Hill Rd. *Arl* —3A **4**
Chase, The. *Arl* —3A **4**
Chasten Hill. *Let* —4D **10**
Chatsworth Ct. *Stev* —2D **30**
Chatterton. *Let* —6H **11**
Chaucer Way. *Hit* —5G **15**
Chauncy Gdns. *Bald* —2F **13**
Chauncy Ho. *Stev* —3G **27**
Chauncy Rd. *Stev* —3G **27**
Chells. —3B 28
Chells Enterprise Village. *Stev*
  —3C **28**
Chells La. *Stev* —2C **28**
  (in two parts)
Chells Manor. —2D 28
Chells Recreation Ground.
  —3D **28**
Chells Way. *Stev* —2A **28**
Chennells Clo. *Hit* —3F **15**
Chepstow Clo. *Stev* —1B **28**
Chequers Bri. Rd. *Stev* —3E **27**
Chequers Clo. *Stot* —3G **5**
Cherry Clo. *Kneb* —6G **31**
Cherry Tree Clo. *Arl* —5A **4**
Cherry Tree Ri. *Walk* —6H **25**
Cherry Trees. *L Ston* —6D **2**
Chertsey Ri. *Stev* —5C **28**
Cherwell Dri. *Stev* —4A **24**
Chesfield Downs Family Golf
  Cen. —5F **17**
Chesfield Pk. —3H **23**
Chester Rd. *Stev* —6A **24**
Chestnut Av. *Henl* —6D **2**
Chestnut Ct. *Hit* —5B **14**
Chestnut Wlk. *St I* —3E **21**
Chiltern Pl. *Henl* —1F **3**
Chiltern Rd. *Bald* —5D **12**
Chiltern Rd. *Hit* —6E **15**
Chilterns, The. *Hit* —1E **21**
Chilterns, The. *Stev* —4B **24**
Chiltern Vw. *Let* —6D **10**
Chilvers Bank. *Bald* —4C **12**
Cholwell Rd. *Stev* —6C **28**
Chouler Gdns. *Stev* —5E **23**
Christie Rd. *Stev* —4C **28**
Church End. —2A 4
  (Arlesey)
Church End. —4D 18
  (Weston)
Church End. *Arl* —1A **4**

Church End. *Walk* —5H **25**
Churchgate. *Hit* —1C **20**
Church Grn. *Gt Wym* —1A **22**
Church La. *Arl* —1A **4**
Church La. *G'ley* —3E **23**
Church La. *Stev* —2E **27**
Church La. *W'ton* —5D **18**
Church La. *W'ian* —2A **12**
Church Path. *Ickl* —1C **14**
Church Path. *L Wym* —4B **22**
Church Rd. *Stot* —3F **5**
Church St. *Bald* —2C **12**
Church Yd. *Hit* —6C **14**
Churchyard Wlk. *Hit* —6C **14**
Clare Cres. *Bald* —5C **12**
Claymore Dri. *Ickl* —6H **9**
Claymores. *Stev* —3G **27**
Cleviscroft. *Stev* —5G **27**
Clifton Rd. *Henl* —1E **3**
Cloister Lawn. *Let* —1B **16**
Cloisters Rd. *Let* —1B **16**
Close, The. *Bald* —4C **12**
Close, The. *Stev* —6E **23**
Clothall. —1E 19
Clothall Rd. *Bald* —3D **12**
Clovelly Way. *Stev* —1C **26**
Coach Dri. *Hit* —2D **20**
Coach Ho. Cloisters. *Bald*
  —3C **12**
Coachman's La. *Bald* —3B **12**
Codicote Ho. Stev —6E **23**
  (off Coreys Mill La.)
Coleridge Clo. *Hit* —5F **15**
Colestrete. *Stev* —5H **27**
Colestrete Clo. *Stev* —4A **28**
College Rd. *Hit* —5D **14**
Collenswood Rd. *Stev* —5B **28**
Collison Clo. *Hit* —3G **15**
Colonnade, The. Let —5F **11**
  (off Eastcheap)
Colts Corner. *Stev* —5B **28**
Columbus Clo. *Stev* —2A **28**
Colwyn Clo. *Stev* —2D **26**
Commerce Way. *Let* —5F **11**
Common Ri. *Hit* —4E **15**
Common Rd. *Stot* —1F **5**
Common Vw. *Let* —3G **11**
Common Vw. Sq. *Let* —3G **11**
Conifer Clo. *Stev* —2D **28**
Conifer Wlk. *Stev* —2C **28**
Conquest Clo. *Hit* —2D **20**
Constantine Clo. *Stev* —6H **23**
Constantine Pl. *Bald* —2F **13**
Convent Clo. *Hit* —5D **14**
Cook Rd. *Stev* —2B **28**
Cooks Way. *Hit* —4E **15**
Cooper Clo. *L Ston* —1A **8**
Coopers Clo. *Stev* —5D **28**
Coopers Fld. *Let* —4D **10**
Coppens, The. *Stot* —4G **5**
Coppice Mead. *Stot* —4E **5**
Corey's Mill. —6D 22
Coreys Mill La. *Stev* —6D **22**
Corner Clo. *Let* —5E **11**
Cornfields. *Stev* —2C **28**
Corton Clo. *Stev* —1D **26**
Cotney Cft. *Stev* —6D **28**
Cotter Ho. *Stev* —4A **24**
Cotton Brown Pk. *Let* —4A **12**
Coventry Clo. *Stev* —6A **24**
Cowslip Hill. *Let* —4E **11**
Cox's Way. *Arl* —3A **4**
Crabbes Clo. *Hit* —6C **14**
Crabtree Dell. *Let* —2E **17**
Crabtree La. *Bald* —5C **12**
Crab Tree Rd. *Kneb* —6G **31**
Cragside. *Stev* —4G **31**
Cranborne Av. *Hit* —1B **20**

Cranborne Ct. Stev —6D **22**
  (off Ingleside Dri.)
Creamery Ct. *Let* —2E **17**
Crescent, The. *Henl* —5D **2**
Crescent, The. *Hit* —4B **14**
Crescent, The. *Let* —6G **15**
Crescent, The. *St I* —4E **21**
Cricketer's Rd. *Arl* —5A **4**
Crispin Ter. *Hit* —5B **14**
Croft Ct. *Hit* —6C **14**
Croft La. *Let* —2G **11**
Crofts, The. *Stot* —3F **5**
Crompton Rd. *Stev* —3C **26**
Cromwell Grn. *Let* —3H **11**
Cromwell Rd. *Let* —3H **11**
Cromwell Rd. *Stev* —4C **28**
Crossgates. *Stev* —4G **27**
Crossleys. *Let* —1F **11**
Cross St. *Let* —4F **11**
Crow Furlong. *Hit* —1B **20**
Crown Lodge. *Arl* —5A **4**
Cubitt Clo. *Hit* —6G **15**
Curlew Clo. *Let* —2E **11**
Cuttys La. *Stev* —4G **27**

Dacre Rd. *Hit* —5E **15**
Dagnalls. *Let* —3B **16**
Daisy Ct. *Let* —3G **11**
Dale Clo. *Hit* —3D **20**
Dale, The. *Let* —6E **11**
Daltry Clo. *Stev* —5E **23**
Daltry Rd. *Stev* —5E **23**
Damask Clo. *W'ton* —5B **18**
Damask Green. —5B 18
Damask Grn. Rd. *W'ton* —5B **18**
Dancote. *Kneb* —6D **30**
Dane Clo. *Stot* —1F **5**
Dane End Ho. Stev —6E **23**
  (off Coreys Mill La.)
Dane End La. *Hit* —3E **25**
Danescroft. *Let* —2F **11**
Danesgate. *Stev* —5F **27**
Daneshill Ho. Stev —4F **27**
  (off Danestrete)
Danestrete. *Stev* —4F **27**
Darwin Rd. *Stev* —3B **28**
David Evans Ct. *Let* —4D **10**
Davis Cres. *Pir* —6A **8**
Davis Row. *Arl* —4A **4**
Dawlish Clo. *Stev* —4G **31**
Dawson Clo. *Henl* —4E **3**
Deacons Way. *Hit* —4B **14**
Deanscroft. *Kneb* —6D **30**
Deard's End La. *Kneb* —5D **30**
Deards Wood. *Kneb* —6D **30**
Deeping Clo. *Kneb* —6G **31**
Dell, The. *Bald* —5C **12**
Dell, The. *Stev* —4G **27**
Denby. *Let* —1D **16**
Dene La. *Ast* —1H **31**
Denton Rd. *Stev* —5G **27**
Dents Clo. *Let* —2E **17**
Derby Way. *Stev* —1B **28**
Derwent Rd. *Henl* —5D **2**
Desborough Rd. *Hit* —5G **15**
Devonshire Clo. *Stev* —3E **31**
Dewpond Clo. *Stev* —1E **27**
Diamond Ind. Cen. *Let* —4A **12**
Ditchmore La. *Stev* —3F **27**
Doncaster Clo. *Stev* —1C **28**
Douglas Dri. *Stev* —1A **28**
Dovedale. *Stev* —5B **28**
Dovehouse La. *Stev* —5G **25**
Dove Rd. *Stev* —4H **23**
Dower Ct. Hit —2D **20**
  (off London Rd.)
Downlands. *Bald* —2E **13**

Downlands. *Stev* —2D **28**
Drakes Dri. *Stev* —2B **28**
Drapers Way. *Stev* —2E **27**
Dryden Cres. *Stev* —1B **28**
Dugdale Ct. *Hit* —4A **14**
Duke's La. *Hit* —5D **14**
Duncots Clo. *Ickl* —2C **14**
Dunham's La. *Let* —4H **11**
Dunlin. *Let* —2E **11**
Dunn Clo. *Stev* —6G **27**
Durham Rd. *Stev* —6A **24**
Dyes La. *Hit* —5A **26**
Dymoke M. *Stev* —1E **27**

Eagle Ct. *Bald* —2C **12**
Earlsmead. *Let* —2B **16**
Eastbourne Av. *Stev* —3C **26**
Eastcheap. *Let* —5F **11**
East Clo. *Hit* —4F **15**
East Clo. *Stev* —4H **27**
Eastern Av. *Henl* —6E **3**
Eastern Way. *Let* —3G **11**
Eastgate. *Stev* —5F **27**
Easthall Ho. Stev —5E **23**
  (off Coreys Mill La.)
Eastholm. *Let* —3G **11**
Eastholm Grn. *Let* —3G **11**
Eastman Way. *Stev* —5C **24**
East Reach. *Stev* —1E **31**
East Vw. *St I* —5G **21**
Edgeworth Clo. *Stev* —2G **31**
Edison Rd. *Stev* —3B **28**
Edmonds Dri. *Stev* —5D **28**
Edwards Rd. *Stev* —3G **27**
Eisenberg Clo. *Bald* —2F **13**
Elbow La. *Stev* —3F **31**
Eldefield. *Let* —4C **10**
Elderberry Dri. *St I* —3E **21**
Elder Way. *Stev* —6F **27**
Elgin Clo. *Hit* —1E **21**
Eliot Rd. *Stev* —3C **28**
Ellice. *Let* —1D **16**
Ellis Av. *Stev* —1G **27**
Elm Pk. *Bald* —3D **12**
Elms Clo. *L Wym* —4A **22**
Elmside Wlk. *Hit* —5C **14**
Elm Wlk. *Stev* —6B **28**
Elmwood Av. *Bald* —4D **12**
Elmwood Ct. *Bald* —3D **12**
Ely Clo. *Stev* —5B **24**
Emperors Ga. *Stev* —1D **28**
Enjakes Clo. *Stev* —4F **31**
Ennsmore Clo. *Let* —2D **16**
Essex Ho. *Stev* —3D **26**
Essex Rd. *Stev* —1D **26**
Everest Clo. *Arl* —4B **4**
Exchange Rd. *Stev* —5B **28**
Exchange Yd. *Hit* —6C **14**
Exeter Clo. *Stev* —5B **24**
Eynsford Ct. *Hit* —1D **20**

Fairfield Way. *Hit* —5H **15**
Fairfield Way. *Stev* —4C **24**
Fairlands Valley Park. —6H **27**
  (Shephall)
Fairlands Valley Pk. —4A **28**
  (Stevenage)
Fairlands Way. *Stev* —4E **27**
Fairview Rd. *Stev* —1D **26**
Fakeswell La. *L Ston* —1A **8**
Falcon Clo. *Stev* —1H **31**
Fallowfield. *Stev* —2B **28**
Faraday Rd. *Stev* —3B **28**
Farm Clo. *Let* —2G **11**
Farm Clo. *Stev* —5G **27**
Farriers Clo. *Bald* —2C **12**

Hitchin Rd. *Gos* —3D **20**
Hitchin Rd. *Henl* —5D **2**
Hitchin Rd. *Hit* —1H **21**
Hitchin Rd. *Let* —2A **16**
Hitchin Rd. *Shef* —1A **2**
Hitchin Rd. *Stev* —5D **22**
Hitchin Rd. *Stot* —6D **4**
Hitchin Rd. *W'ton* —3G **17**
Hitchin St. *Bald* —3C **12**
Hitchin Town F.C. —5C **14**
Hobbs Clo. *Hit* —6F **21**
Hobbs Ct. *Stev* —1A **28**
Holdbrook. *Hit* —6F **15**
Holden Clo. *Hit* —6G **15**
Holders La. *Ast E* —4E **29**
Hollow La. *Hit* —6D **14**
Holly Copse. *Stev* —5H **27**
Holly Leys. *Stev* —3F **31**
Hollyshaws. *Stev* —1F **31**
Holmdale. *Let* —6G **11**
Holroyd Cres. *Bald* —4C **12**
Holwell. —4D **8**
Holwell. *Stev* —5E **23**
(off Coreys Mill La.)
Holwellbury. —1D **8**
Holwell Rd. *Hol* —4D **8**
Holwell Rd. *Pir* —6A **8**
Home Clo. *Stot* —3F **5**
Homestead Moat. *Stev* —4G **27**
Hoo Rd. *Shef* —2A **2**
Hopewell Rd. *Bald* —3B **12**
Hopton Rd. *Stev* —2C **26**
Horace Gay Gdns. *Let* —6E **11**
Hornbeam Ct. *Gt Wym* —2A **22**
Hornbeam Spring. *Kneb* —6G **31**
Hornbeams, The. *Stev* —5B **28**
Hospital Rd. *Arl* —5H **3**
House La. *Arl* —2A **4**
Howard Clo. *Stot* —4E **5**
Howard Ct. *Let* —1D **16**
Howard Gardens. —6G **11**
Howard Ga. *Let* —1D **16**
Howard Pk. —5G **11**
Howard Pk. Corner. *Let* —5G **11**
Howards Wood. *Let* —2D **16**
Howberry Grn. *Arl* —6H **3**
Hudson Rd. *Stev* —2B **28**
Humber Ct. *Stev* —4H **23**
Hunters Clo. *Stev* —2D **28**
Hunters Clo. *Stot* —3E **5**
Huntingdon Rd. *Stev* —1D **26**
Hunting Ga. *Hit* —2E **15**
Hurst Clo. *Bald* —2E **13**
Hyatt Trad. Est. *Stev* —4C **26**
Hydean Way. *Stev* —6A **28**
Hyde Av. *Stot* —4E **5**
Hyde Grn. E. *Stev* —6B **28**
Hyde Grn. N. *Stev* —6B **28**
Hyde Grn. S. *Stev* —6B **28**
Hyde, The. *Stev* —6C **28**

Ibberson Way. *Hit* —6E **15**
Ickleford. —1C **14**
Ickleford. *Stev* —5E **23**
(off Coreys Mill La.)
Ickleford Bury. *Ickl* —2C **14**
Ickleford Rd. *Hit* —4D **14**
Icknield Clo. *Ickl* —1C **14**
Icknield Grn. *Let* —5E **11**
Icknield Way. *Bald* —2C **12**
Icknield Way. *Let* —5C **10**
Icknield Way E. *Bald* —2D **12**
Ingelheim Ct. *Stev* —2F **27**
Ingleside Dri. *Stev* —5C **22**
Inn's Clo. *Stev* —3F **27**
Inskip Cres. *Stev* —4G **27**
Iona Clo. *Stev* —5H **23**

Iredale Vw. *Bald* —2E **13**
Ivatt Ct. *Hit* —6G **15**
Ivel Ct. *Let* —1E **17**
Ivel Rd. *Stev* —2E **27**
Ivel Way. *Bald* —5E **13**
Ivel Way. *Stot* —1F **5**
Ivy Ct. *Stot* —2F **5**

Jackdaw Clo. *Stev* —5D **28**
Jackman's Pl. *Let* —5H **11**
Jacks Hill Rd. *G'ley* —6E **17**
Jackson St. *Bald* —2C **12**
James Foster Ho. *Hit* —4C **14**
James Way. *Stev* —2E **27**
Jarden. *Let* —1E **17**
Jay Clo. *Let* —3E **11**
Jennings Clo. *Stev* —6G **27**
Jessop Rd. *Stev* —1A **28**
Jeve Clo. *Bald* —2E **13**
Jill Grey Pl. *Hit* —1D **20**
John Barker Pl. *Hit* —4A **14**
John Henry Leisure Cen.
—6D **22**
Jowitt Ho. *Stev* —3G **27**
Jubilee Cres. *Arl* —1H **9**
Jubilee Memorial Av. *Stev*
(in two parts) —1F **27**
Jubilee Rd. *Let* —4A **12**
Jubilee Rd. *Stev* —1D **26**
Jubilee Trade Cen. *Let* —4B **12**
Julia Ga. *Stev* —1C **28**
Julian's Clo. *Stev* —1E **27**
Julian's Rd. *Stev* —1D **26**
Jupiter Ga. *Stev* —1D **28**

Kardwell Clo. *Hit* —1E **21**
Keats Clo. *Stev* —2C **28**
Keats Way. *Hit* —6G **15**
Keiths Wood. *Kneb* —6D **30**
Keller Clo. *Stev* —5B **28**
Kendale Rd. *Hit* —1D **20**
Kenilworth Clo. *Stev* —4G **31**
Kenmare Clo. *Stev* —4H **23**
Kennet Way. *Stev* —4A **24**
Kent Pl. *Hit* —5B **14**
Kerr Clo. *Kneb* —6D **30**
Kershaw's Hill. *Hit* —1D **20**
(in two parts)
Kessingland Av. *Stev* —6C **22**
Kestrel Clo. *Stev* —1H **31**
Kestrel Wlk. *Let* —2D **16**
Kimberley. *Let* —2F **11**
Kimbolton Cres. *Stev* —3D **30**
Kimpton. *Stev* —5E **23**
(off Coreys Mill La.)
Kingfisher Clo. *Hit* —1E **21**
Kingfisher Ct. *Let* —3E **11**
Kingfisher Ri. *Stev* —1H **31**
King George Clo. *Stev* —3G **27**
King George V Playing Field.
—3B **14**
King Georges Clo. *Hit* —3B **14**
Kings Ct. *Stev* —5F **27**
Kingsdown. *Hit* —1F **21**
Kings Hedges. *Hit* —4A **14**
(in two parts)
King's Rd. *Hit* —5D **14**
Kings Walden Ri. *Stev* —2C **28**
Kingsway. *Stot* —2F **5**
Kingsway Gdns. *Stot* —2E **5**
Kingswood Av. *Hit* —4H **15**
Kipling Clo. *Hit* —6G **15**
Kitcheners La. *Walk* —6H **25**
Kitching La. *Stev* —4B **26**
Kite Way. *Let* —3E **11**
Kiwi Ct. *Hit* —4D **14**

Knap Clo. *Let* —3A **12**
Knebworth. —6E **31**
Knebworth Golf Course. —4C **30**
Knebworth House. —5A **30**
Knights Templar La. *Stev* —1C **28**
Knowle. *Stev* —6D **22**
Knowl Piece. *Hit* —2E **15**
Kristiansand Way. *Let* —3A **12**
Kymswell Rd. *Stev* —5C **28**
Kyrkeby. *Let* —1E **17**

Lacre Way. *Let* —4A **12**
Lamb Mdw. *Arl* —6H **3**
Lammas Mead. *Hit* —3C **14**
Lammas Path. *Stev* —5B **28**
Lammas Way. *Let* —3F **11**
Lancaster Av. *Hit* —5C **14**
Lancaster Clo. *Stev* —5G **23**
Lancaster Rd. *Hit* —5C **14**
Langbridge Clo. *Hit* —2E **21**
Langleigh. *Let* —2F **11**
Langthorne Av. *Stev* —3G **27**
Lannock. *Let* —1F **17**
Lannock Hill. *Let* —3F **17**
Lanterns. *Stev* —2C **28**
Lanterns La. *Ast E* —3D **28**
Lanthony Ct. *Arl* —5A **4**
Lapwing Dell. *Let* —3D **16**
Lapwing Ri. *Stev* —6D **28**
Larch Av. *St I* —3E **21**
Larkins Clo. *Bald* —2D **12**
Larkinson. *Stev* —2E **27**
Larwood Gro. *Stev* —1A **28**
Latchmore Clo. *Hit* —2D **20**
Laurel M. *Bald* —2D **12**
Laurel Way. *Ickl* —2C **14**
Lavender Ct. *Bald* —2C **12**
Lavender Way. *Hit* —6B **14**
Lawns, The. *Stev* —5D **28**
Lawrence Av. *Let* —1C **16**
Lawrence Av. *Stev* —2D **26**
Lawrence Mead. *L Wym* —3B **22**
Laxton Gdns. *Bald* —4E **13**
Leas, The. *Bald* —4C **12**
Leaves Spring. *Stev* —1D **30**
Leggett Gro. *Stev* —1G **27**
Leslie Clo. *Stev* —1G **31**
Letchmore Clo. *Stev* —3F **27**
Letchmore Rd. *Stev* —3F **27**
(in two parts)
Letchworth. —5F **11**
Letchworth Bus. & Retail Pk.
Let —4A **12**
Letchworth Ga. *Let* —6H **11**
Letchworth Golf Course. —3A **16**
Letchworth La. *Let* —2B **16**
Letchworth Mus. & Art Gallery.
—6F **11**
Letchworth Rd. *Bald* —3B **12**
Letchworth Shop. Cen. *Let*
—5F **11**
Letchworth Swimming Pool.
—4G **11**
Letter Box Row. *Gos* —4D **20**
Leyden Rd. *Stev* —6F **27**
Leys Av. *Let* —5F **11**
Lime Clo. *Stev* —5D **28**
Limekiln La. *Bald* —4D **12**
Limes, The. *Arl* —1A **4**
Limes, The. *Hit* —1B **20**
Lincoln Rd. *Stev* —5B **24**
Lindencroft. *Let* —2G **11**
Lindens, The. *Stev* —5G **27**
Lindsay Av. *Hit* —2F **21**
Lingfield Rd. *Stev* —6C **24**
Link, The. *Let* —2G **11**
Linkways E. *Stev* —4H **27**

Linkways W. *Stev* —4H **27**
Linnet Clo. *Let* —3E **11**
Lintern Clo. *Hit* —1G **21**
Lintott Clo. *Stev* —3F **27**
Lismore. *Stev* —2G **31**
Lister Av. *Hit* —2D **20**
Lister Clo. *Stev* —5E **23**
(off Coreys Mill La.)
LISTER HOSPITAL. —5D **22**
Little Almshoe. —6F **21**
Littlebury Clo. *Stot* —4G **5**
Little Hyde. *Stev* —5B **28**
Little La. *Pir* —6A **8**
(in two parts)
Little Wymondley. —4B **22**
Lit. Wymondley By-Pass. *Hit* &
Stev —3G **17**
Livingstone Link. *Stev* —1B **28**
Lodge Ct. *Ickl* —2C **14**
Lodge Way. *Stev* —2E **31**
Lolleywood La. *Hit* —5F **19**
Lomond Way. *Stev* —5C **24**
London Rd. *Bald* —5D **12**
(in two parts)
London Rd. *Gos*
—2D **20** & 5A **26**
London Rd. *Kneb* —6E **31**
London Rd. *Stev* —5F **27**
London Row. *Arl* —6A **4**
Long Clo. *L Ston* —1A **8**
Longcroft Rd. *Stev* —2G **27**
Longfield. *Stev* —1D **26**
Longfield Ct. *Let* —4D **10**
Longfields. *Stev* —2G **31**
Long Hyde. *Stev* —5B **28**
Long La. *Ast E* —4D **28**
Long Leaves. *Stev* —1E **31**
Longmead. *Let* —4E **11**
Longmeadow Dri. *Ickl* —6G **9**
Longmeadow Grn. *Stev* —2G **31**
Long Ridge. *Ast* —2H **31**
Lonsdale Ct. *Stev* —2H **27**
Lonsdale Rd. *Stev* —1H **27**
Lordship La. *Let* —1D **16**
Lovell Clo. *Hit* —1E **21**
Lower Green. —6H **9**
Lower Innings. *Hit* —5B **14**
Lower Sean. *Stev* —6A **28**
Lower Stondon. —6C **2**
Lower Titmore Green. —6A **22**
Lowes Clo. *Stev* —5C **24**
Lucas La. *Hit* —5B **14**
Lygrave. *Stev* —3G **31**
Lyle's Row. *Hit* —1D **20**
Lymans Rd. *Arl* —3A **4**
Lymington Rd. *Stev* —1D **26**
Lyndale. *Stev* —5G **27**
Lynton Av. *Arl* —4A **4**
Lytton Av. *Let* —6F **11**
Lytton Fields. *Kneb* —6D **30**
Lytton Way. *Stev* —2E **27**

Macfadyen Webb Ho. *Let*
—4G **11**
Mackenzie Sq. *Stev* —6B **28**
Maddles. *Let* —1F **17**
Made Feld. *Stev* —4H **27**
Magellan Clo. *Stev* —4D **28**
Magpie Cres. *Stev* —1H **31**
Maiden St. *W'ton* —4B **18**
Mallard Rd. *Stev* —1H **31**
Malthouse La. *Stot* —2G **5**
Maltings Clo. *Bald* —2E **13**
Maltings, The. *Let* —2A **12**
Maltings, The. *Stev* —1H **29**
Malvern Clo. *Stev* —4F **31**
Manchester Clo. *Stev* —4H **23**

Mandeville. *Stev* —3G **31**
Manor Clo. *Ickl* —2C **14**
Manor Clo. *Let* —2B **16**
Manor Cres. *Hit* —1F **21**
Manor Vw. *Stev* —2F **31**
Manor Way. *Let* —2B **16**
Manor Way. *Old K* —6A **30**
Mansfield Rd. *Bald* —4C **12**
Manton Rd. *Hit* —1F **21**
Maple Clo. *L Ston* —1A **8**
Maples Ct. *Hit* —6C **14**
Maples, The. *Hit* —2D **20**
Maples, The. *Stev* —2F **31**
Marcus Clo. *Hit* —1C **28**
Market Pl. *Hit* —6C **14**
Market Pl. *Stev* —4F **27**
Market Sq. *Hit* —4F **27**
Marlborough Clo. *W'ton* —5B **18**
Marlborough Rd. *Stev* —4C **28**
Marlowe Clo. *Stev* —1C **28**
Marmet Av. *Let* —5E **11**
Marquis Bus. Cen. *Bald* —2E **13**
Marschefield. *Stot* —3E **5**
Marshgate. *Stev* —4F **27**
Martin's Ho. *Stev* —6A **24**
Martins Way. *Stev* —1E **27**
Martin Way. *Let* —6D **10**
Marymead Ct. *Stev* —3E **31**
Marymead Dri. *Stev* —3E **31**
Marymead Ind. Est. *Stev* —3F **31**
Masefield. *Hit* —6G **15**
Matthew Ga. *Hit* —2E **21**
Matthews Clo. *Stev* —6F **23**
Mattocke Rd. *Hit* —4A **14**
Maxwell Rd. *Stev* —4D **26**
Maxwell's Path. *Hit* —5B **14**
Maycroft. *Let* —2G **11**
Maydencroft La. *Gos* —3B **20**
Mayfield Cres. *L Ston* —1A **8**
Mayles Clo. *Stev* —2D **26**
Maylin Clo. *Hit* —5G **15**
Maytrees. *Hit* —1E **21**
Mead Clo. *Stev* —3H **27**
Meadow Bank. *Hit* —5F **15**
Meadowsweet. *L Ston* —1B **8**
Meadow Way. *Hit* —1B **20**
Meadow Way. *Let* —6F **11**
Meadow Way. *Stev* —4H **27**
Meadow Way. *Stot* —3F **5**
Meads, The. *Let* —5E **11**
Mead, The. *Hit* —3C **14**
Meadway. *Kneb* —6G **31**
Meadway. *Stev* —3D **26**
  (Gunnels Wood Rd.)
Meadway. *Stev* —3C **26**
  (Redcar Dri., in two parts)
Meadway Ct. *Stev* —3D **26**
Meadway Technology Pk. *Stev*
  —3C **26**
Medalls Link. *Stev* —6A **28**
Medalls Path. *Stev* —6A **28**
Meeting Ho. La. *Bald* —2C **12**
Melbourn Clo. *Stot* —3F **5**
Melne Rd. *Stev* —3F **31**
Merchants Wlk. *Bald* —2F **13**
Mercia Rd. *Bald* —3E **13**
Meredith Rd. *Stev* —1A **28**
Mermaid Clo. *Hit* —6F **15**
Mews, The. *Let* —2A **12**
Michael Muir Ho. *Hit* —4B **14**
Middlefields. *Let* —2F **11**
Middlefields Ct. Let —2F **11**
  (off Middlefields)
Middle Row. *Stev* —2E **27**
Middlesborough Clo. *Stev*
  —5H **23**
Middlesex Ho. *Stev* —3D **26**

Midhurst. *Let* —3F **11**
Mildmay Rd. *Stev* —1B **28**
Milestone Clo. *Stev* —5D **28**
Milestone Rd. *Hit* —4B **14**
Milestone Rd. *Kneb* —6E **31**
Milksey La. *Hit* —2E **23**
Millard Way. *Hit* —3G **15**
Mill Clo. *Hit* —5G **15**
Mill Clo. *Stot* —3E **5**
Millfield La. *St I* —3D **20**
Mill La. *Arl* —5H **3**
Mill La. *Gos* —4D **20**
Mill La. *Stot* —3G **5**
Mill La. *W'ton* —4C **18**
Mill Rd. *St I* —4D **20**
Millstream Clo. *Hit* —3D **14**
Mill Way. *Hit* —2A **14**
Milton Vw. *Hit* —6G **15**
Mindenhall Ct. Stev —2E **27**
  (off High St.)
Minehead Way. *Stev* —2C **26**
Minerva Clo. *Stev* —6C **24**
Minsden Rd. *Hit* —6D **28**
Mixies, The. *Stot* —3E **5**
Mobbsbury Way. *Stev* —2B **28**
Monklands. *Let* —5D **10**
Monks Clo. *Let* —5C **10**
Monks Vw. *Stev* —1D **30**
Monkswood Retail Pk. *Stev*
  —6G **27**
Monkswood Way. *Stev* —5G **27**
Montfitchet Wlk. *Stev* —1D **28**
Moormead Clo. *Hit* —1B **20**
Moormead Hill. *Hit* —1A **20**
Moors Ley. *Walk* —6G **25**
Morecombe Clo. *Stev* —2D **26**
Morgan Clo. *Stev* —6F **23**
Morris Clo. *Henl* —4E **3**
Moss Way. *Hit* —4A **14**
Mount Garrison. *Hit* —6D **14**
Mountjoy. *Hit* —4G **15**
Mount Pleasant. *Hit* —1B **20**
Mount Pleasant Golf Course.
  —6B **2**
Mowbray Cres. *Stot* —2F **5**
Mowbray Gdns. *Hit* —2E **21**
Mozart Ct. *Stev* —4E **27**
Muddy La. *Let* —2B **16**
Muirhead Way. *Kneb* —6D **30**
Mulberry Clo. *Stot* —4F **5**
Mulberry Way. *Hit* —3B **14**
Mullway. *Let* —5C **10**
Mundesley Clo. *Stev* —6D **22**
Muntings, The. *Stev* —6A **28**
Munts Mdw. *W'ton* —4C **18**
Murrell La. *Stot* —4G **5**

Narrowbox La. *Stev* —2C **28**
Nash Clo. *Stev* —3B **28**
Neagh Clo. *Stev* —4C **24**
Nene Rd. *Henl* —5D **2**
Neptune La. *Stev* —6D **24**
Netherstones. *Stot* —2F **5**
Netley Dell. *Let* —2D **16**
Nevell's Grn. *Let* —4F **11**
Nevells Rd. *Let* —5F **11**
Nevilles Ct. *Let* —3A **12**
Newbury Clo. *Stev* —6F **23**
Newcastle Clo. *Stev* —4H **23**
New Clo. *Kneb* —5D **30**
Newells. *Let* —1E **17**
Newells Way. *Let* —6B **12**
New England Clo. *St I* —3D **20**
Newgate. *Stev* —5A **28**
Newhaven. *Stev* —2B **28**
Newlands. *Let* —2C **16**

Newlands Clo. E. *Hit* —3D **20**
Newlands Clo. W. *Hit* —3D **20**
Newlands La. *Hit* —3D **20**
Newlyn Clo. *Stev* —3C **26**
Newnham. —2D 6
Newnham Rd. *Bald* —2D **6**
New Rd. *Shef* —1C **2**
Newton Rd. *Stev* —3B **28**
Newtons Way. *Hit* —1D **20**
Nicholas Pl. *Stev* —6F **23**
Nightingale Ct. *Hit* —5E **15**
Nightingale Rd. *Hit* —5D **14**
Nightingale Ter. *Arl* —6A **4**
Nightingale Wlk. *Stev* —4C **28**
Nightingale Way. *Bald* —5C **12**
Nimbus Way. *Hit* —6G **15**
Ninesprings Way. *Hit* —1F **21**
Nodes Dri. *Stev* —2E **31**
Nokeside. *Stev* —3F **31**
Noke, The. *Stev* —3F **31**
Normans Clo. *Let* —2F **11**
North Av. *Let* —3H **11**
Northern Av. *Henl* —6D **2**
Northfields. *Let* —2F **11**
Northgate. *Stev* —4F **27**
North Pl. *Hit* —4B **14**
North Rd. *G'ley & Stev* —4E **23**
Norton. —2A 12
Norton Cres. *Bald* —3C **12**
Norton Green. —6D 26
Norton Grn. Rd. *Stev* —5E **27**
Norton Mill La. *Let & Hinx* —6B **6**
Norton Rd. *Let & Bald* —3G **11**
Norton Rd. *Stev* —5F **27**
Norton Rd. *Stot & Let* —5G **5**
Norton Way N. *Let* —5G **11**
Norton Way S. *Let* —5G **11**
Norwich Clo. *Stev* —6B **24**
Nun's Clo. *Hit* —6C **14**
Nup End Green. —6A 30
Nursery Clo. *Stev* —3E **31**
Nutleigh Gro. *Hit* —4B **14**

Oakfield. —2F **21**
Oakfield Av. *Hit* —2F **21**
Oakfields. *Stev* —2F **31**
Oakfields Av. *Kneb* —5E **31**
Oakfields Clo. *Stev* —2G **31**
Oakfields Rd. *Kneb* —5E **31**
Oakhill. *Let* —1F **17**
Oak La. *G'ley* —3D **22**
Oaks Clo. *Hit* —2D **20**
Oaks Cross. *Stev* —2F **31**
Oaktree Clo. *Let* —1A **16**
Oakwell Clo. *Stev* —4H **31**
Oakwood Clo. *Stev* —1G **31**
Offley Rd. *Hit* —1B **20**
Old Bakery. *Hit* —6C **14**
Old Bourne Way. *Stev* —4A **24**
Old Brewery Clo. *Stot* —2F **5**
Old Chantry. *Stev* —5C **22**
Old Charlton Rd. *Hit* —1C **20**
Olden Mead. *Let* —2D **16**
Olde Swan Ct. *Stev* —2E **27**
Oldfield Farm Rd. *Henl* —5D **2**
  (in two parts)
Old Maltings. *Hit* —4C **14**
Old Knebworth. —5A 30
Old Knebworth La. *Old K* —5A **30**
Old La. *Kneb* —6E **31**
Old Oak Clo. *Arl* —1A **4**
Old Pk. Rd. *Hit* —6C **14**

Old School Wlk. *Arl* —5A **4**
Old Stevenage. —2E 27
Old Walled Garden, The. *Stev*
  —6E **23**
Oliver's La. *Stot* —3F **5**
  (in two parts)
Olympus Rd. *Henl* —5D **2**
Openshaw Way. *Let* —5F **11**
Orchard Clo. *Let* —3F **11**
Orchard Clo. *St I* —4D **20**
Orchard Cres. *Stev* —2E **27**
Orchard Rd. *Bald* —2C **12**
Orchard Rd. *Hit* —4F **15**
Orchard Rd. *Stev* —2E **27**
Orchard, The. *Bald* —3D **12**
Orchard Vw. *Hit* —4F **15**
Orchard Way. *Kneb* —6C **30**
Orchard Way. *Let* —3F **11**
Orchard Way. *L Ston* —6D **2**
Ordelmere. *Let* —2F **11**
Orlando Clo. *Hit* —1E **21**
Orwell Av. *Stev* —4H **23**
Orwell Vw. *Bald* —2F **13**
Osbourne Ct. *Bald* —4D **12**
Osprey Gdns. *Stev* —1H **31**
Osterley Clo. *Stev* —4G **31**
Oughton Clo. *Hit* —5B **14**
Oughtonhead La. *Hit* —5A **14**
  (in two parts)
Oughton Head Way. *Hit* —5B **14**
Oundle Ct. *Stev* —3G **31**
Oundle Path. *Stev* —3G **31**
Oundle, The. *Stev* —2G **31**
Oval, The. *Henl* —6E **3**
Oval, The. *Stev* —6A **24**
Owen Jones Clo. *Henl* —4E **3**
Oxleys Rd. *Stev* —6B **28**

Pacatian Way. *Stev* —1C **28**
Paddock Clo. *Let* —6G **11**
Paddocks Clo. *Stev* —5B **28**
Paddocks, The. *Stev* —5B **28**
Paddock, The. *Hit* —2E **21**
Page Clo. *Bald* —5D **12**
Palmerston Ct. *Stev* —2B **28**
Pankhurst Cres. *Stev* —4C **28**
Parade, The. Let —2F **11**
  (off Southfields)
Parishes Mead. *Stev* —5D **28**
Park Clo. *Bald* —4C **12**
Park Clo. *Stev* —2F **31**
Park Ct. *Let* —5G **11**
Park Cres. *Bald* —4C **12**
Park Dri. *Bald* —4C **12**
Parker Clo. *Stev* —1A **16**
Parker's Fld. *Stev* —5C **28**
Pk. Farm Clo. *Henl* —1F **3**
Parkfield. *Let* —1F **17**
Park Gdns. *Bald* —4C **12**
Park La. *Old K* —6A **30**
Park Pl. *Stev* —4F **27**
Park St. *Bald* —3C **12**
Park St. *Hit* —1C **20**
Park Vw. *Stev* —2F **31**
Park Way. *Hit* —1C **20**
Parkway. *Stev* —2E **31**
Parsons Grn. Ind. Est. *Stev*
  —5C **24**
Pascal Way. *Let* —3H **11**
Passingham Av. *Hit* —1E **21**
Pasture Rd. *Let* —2A **16**
Pastures, The. *Stev* —1D **28**
Pastures, The. *Up Ston* —6A **2**
Paynes Clo. *Bald* —2G **11**
Payne's Pk. *Hit* —6C **14**
Pearl Ct. *Bald* —3D **12**

Pearsall Clo. *Let* —6H **11**
Pear Tree Clo. *L Ston* —6D **2**
Pear Tree Dell. *Let* —2D **16**
Peartree Way. *Stev* —6A **28**
Pebbles, The. *Radw* —5A **6**
Peckworth Ind. Est. *L Ston*
—5C **2**
Pelican Way. *Let* —2F **11**
Pembroke Rd. *Bald* —3D **12**
Penfold Clo. *Bald* —4E **13**
Penn Rd. *Stev* —4G **27**
Penn Way. *Let* —2D **16**
Pepper All. *Bald* —3D **12**
Peppercorn Wlk. *Hit* —6F **15**
Pepper Ct. *Bald* —3C **12**
Pepsal End. *Stev* —3F **31**
Pepys Way. *Bald* —3C **12**
Periwinkle La. *Hit* —4D **14**
Peters Way. *Kneb* —5D **30**
Petworth Clo. *Stev* —4G **31**
Pike End. *Stev* —3F **27**
Pilgrims Way. *Stev* —6A **24**
PINEHILL HOSPITAL. —6F **15**
Pinewoods. *Stev* —2D **30**
Pin Green. —6A 24
Pin Green Ind. Est. *Stev* —5C **24**
(Cartwright Rd.)
Pin Grn. Ind. Est. *Stev* —5B **24**
(Wedgwood Way)
Pinnocks Clo. *Bald* —4D **12**
Pinnocks La. *Bald* —4D **12**
Pirton. —6A 8
Pirton Clo. *Hit* —6B **14**
Pirton Rd. *Hit* —1A **20**
Pirton Rd. *Hol* —5C **8**
Pitch And Putt Course. —2C **16**
(Letchworth)
Pitch And Putt Course. —2H **27**
(Stevenage)
Pitt Ct. *Stev* —2F **31**
Pixmore Av. *Let* —5H **11**
Pixmore Cen. *Let* —5G **11**
Pixmore Ind. Est. *Let* —5G **11**
Pixmore Way. *Let* —6F **11**
Pix Rd. *Let* —5G **11**
Pix Rd. *Stot* —4E **5**
Plash Dri. *Stev* —4G **27**
Plum Tree Rd. *L Ston* —6D **2**
Pollard Gdns. *Stev* —1H **27**
Pond Clo. *Stev* —2E **27**
Pondcroft Rd. *Kneb* —6E **31**
Pond La. *Bald* —3C **12**
Pondside. *G'ley* —3E **23**
Poplar Clo. *Hit* —1E **21**
Poplars. —6D 28
Poplars, The. *Arl* —1A **4**
Poplars, The. *Ickl* —5H **9**
Popple Way. *Stev* —3G **27**
Poppy Mead. *Stev* —5H **27**
Portland Ind. Est. *Arl* —1H **9**
Portman Clo. *Hit* —3B **14**
Portmill La. *Hit* —6D **14**
Post Office Row. *W'ton* —4B **18**
Potters La. *Stev* —5D **26**
Pound Av. *Stev* —3F **27**
Pound Ct. *Stev* —3F **27**
Prestatyn Clo. *Stev* —2D **26**
Preston Rd. *Gos* —5D **20**
Primary Way. *Arl* —5A **4**
Primett Rd. *Stev* —2E **27**
Primrose Clo. *Arl* —5H **3**
Primrose Ct. *Stev* —2F **27**
Primrose Hill Rd. *Stev* —2F **27**
Primrose La. *Arl* —5H **3**
Prince's La. *Stot* —2F **5**
Priory Ct. *Hit* —2D **20**
Priory Dell. *Stev* —4G **27**
Priory End. *Hit* —1D **20**

Priory La. *L Wym* —3B **22**
Priory Pk. —2C **20**
Priory Vw. *L Wym* —3A **22**
Priory Way. *Hit* —3C **20**
Protea Ind. Est. *Let* —5H **11**
Protea Way. *Let* —5H **11**
Providence Gro. *Stev* —1G **27**
Providence Pl. *Bald* —4D **12**
Providence Way. *Bald* —4D **12**
Pryor Rd. *Bald* —4D **12**
Pryors Ct. *Bald* —2D **12**
Pryor Way. *Let* —1F **17**
Pullman Dri. *Hit* —6F **15**
Pulter's Way. *Hit* —1E **21**
Purcell Ct. *Stev* —1E **27**
Purewell. —5G 15
Purwell La. *Hit* —5G **15**
Pyms Clo. *Let* —3H **11**

Quadrant, The. *Let* —5F **11**
Quadrant, The. *Stev* —5F **27**
Queen Anne's Clo. *Stot* —4F **5**
Queen St. *Hit* —1D **20**
Queen St. *Stot* —3G **5**
Queensway. *Stev* —4F **27**
Queenswood Dri. *Hit* —4G **15**
Quills. *Let* —1F **17**
Quinn Way. *Let* —6A **12**

Raban Clo. *Stev* —2G **31**
Raban Ct. *Bald* —2D **12**
Radburn Corner. *Let* —6A **12**
Radburn Way. *Let* —1D **16**
Radcliffe Rd. *Hit* —5E **15**
Radwell. —5A 6
Radwell La. *Radw* —5A **6**
Raleigh Cres. *Stev* —1A **28**
Rally, The. *Arl* —2A **4**
(in two parts)
Ramerick Gdns. *Arl* —1H **9**
Ramsdell. *Stev* —4H **27**
Randalls Hill. *Stev* —6B **28**
Rand's Clo. *Hol* —4D **8**
Rand's Mdw. *Hol* —4D **8**
Ransom Clo. *Hit* —3D **20**
Ranworth Av. *Stev* —4G **31**
Rectory Cft. *Stev* —6F **23**
Rectory La. *Stev* —6E **23**
Redcar Dri. *Stev* —3C **26**
Redcoats. —5H 21
Redhill Rd. *Hit* —5A **14**
Redhoods Way E. *Let* —4E **11**
Redhoods Way W. *Let* —5E **11**
Redoubt Clo. *Hit* —4E **15**
Redwing Clo. *Stev* —5C **28**
Regal Ct. *Hit* —5D **14**
Regent Ct. *Stot* —2F **5**
Regent St. *Stot* —3F **5**
Reynolds. *Let* —2F **11**
Rhee Spring. *Bald* —2F **13**
Riccat La. *Stev* —4H **23**
Rickyard, The. *Let* —2A **12**
Riddell Gdns. *Bald* —3D **12**
Riddy Hill Clo. *Hit* —1E **21**
Riddy La. *Hit* —1E **21**
Ridge Av. *Let* —5G **11**
Ridge Rd. *Let* —5G **11**
Ridge, The. *Let* —5G **11**
Ridgeway. *Stev* —4H **27**
Ridgeway, The. *Hit* —1B **20**
Ridings, The. *Stev* —6B **28**
Ridlins End. *Stev* —1G **31**
Ringtale Pl. *Bald* —2F **13**
Ripon Rd. *Stev* —5H **23**
Rise, The. *Bald* —4C **12**
River Ct. *Ickl* —1D **14**

River Mead. *Hit* —3A **14**
Rivett Clo. *Bald* —2E **13**
Roaring Meg Retail &
Leisure Pk. *Stev* —6G **27**
Robert Humbert Ho. *Let* —6G **11**
Robert Saunders Ct. *Let* —1A **16**
Robert Tebbutt Ct. *Hit* —6C **14**
Robin Wlk. *Let* —2E **11**
Rockingham Way. *Stev* —6G **27**
Roebuck Ct. *Stev* —2D **30**
Roebuck Ga. *Stev* —2D **30**
Roebuck Retail Pk. *Stev* —1C **30**
Roe Clo. *Stot* —4E **5**
Roman La. *Bald* —3D **12**
Romany Clo. *Let* —5C **10**
Rookes Clo. *Let* —2D **16**
Rook Tree Clo. *Stot* —3F **5**
Rook Tree La. *Stot* —2F **5**
Rookwood Dri. *Stev* —2F **31**
Rooky Yd. *Stev* —2E **27**
Rosemont Clo. *Let* —5E **11**
Ross Ct. *Stev* —2B **28**
Round Mead. *Stev* —6D **28**
Roundwood Clo. *Hit* —3G **15**
Rowan Clo. *W'ton* —5B **18**
Rowan Cres. *Let* —4E **11**
Rowan Cres. *Stev* —2F **27**
Rowan Gro. *St I* —3E **21**
Rowans, The. *Bald* —4C **12**
Rowland Rd. *Stev* —5H **27**
Rowland Way. *Let* —5F **11**
Royal Oak La. *Pir* —6A **8**
Royston Rd. *Bald* —2D **12**
Ruckles Clo. *Stev* —4G **27**
Rudd Clo. *Stev* —6B **28**
Rudham Gro. *Let* —2E **17**
Rundells. *Let* —1F **17**
Runnalow. *Let* —4D **10**
Runswick Ct. *Stev* —2C **26**
Rushby Mead. *Let* —5G **11**
Rushby Pl. *Let* —6G **11**
Rushby Wlk. *Let* —5G **11**
Rush Green. —5A 26
Ruskin La. *Hit* —6G **15**
Russell Clo. *Stev* —1F **31**
Russell's Slip. *Hit* —1B **20**
Rutherford Clo. *Stev* —3C **26**
Ryder Av. *Ickl* —2B **14**
Ryder Way. *Ickl* —2B **14**
Rye Clo. *Stev* —4H **23**
Ryecroft. *Stev* —2G **27**
Rye Gdns. *Bald* —2F **13**
Ryley Clo. *Henl* —5D **2**

Saddlers Clo. *Bald* —3C **12**
(off Hitchin St.)
Saffron Clo. *Arl* —2A **4**
Saffron Hill. *Let* —5E **11**
St Albans Dri. *Stev* —6G **23**
St Albans Highway. *Pres* —6D **20**
St Albans Link. *Stev* —6G **23**
St Andrews Dri. *Stev* —5H **23**
St Andrew's Pl. *Hit* —6D **14**
St Annes Ct. *Hit* —5D **14**
St Anne's Rd. *Hit* —5D **14**
St Davids Clo. *Stev* —4H **23**
St Elmo Ct. *Hit* —2D **20**
St Faiths Clo. *Hit* —4F **15**
St George's Way. *Stev* —4F **27**
St Ibbs. —5E 21
St Ippollitts. —4F 21
St John's Path. *Hit* —1D **20**
St John's Rd. *Arl* —5A **4**
St John's Rd. *Hit* —2D **20**
St Katharines Clo. *Ickl* —2B **14**
St Margarets. *Stev* —1D **30**
St Mark's Clo. *Hit* —4B **14**

St Martin's Rd. *Kneb* —6E **31**
St Mary's Av. *Stot* —3F **5**
St Mary's Clo. *Ast* —1H **31**
St Mary's Clo. *Let* —3B **16**
St Mary's Way. *Bald* —5C **12**
St Michaels Ct. *Stev* —1B **28**
St Michael's Mt. *Hit* —5E **15**
St Michaels Rd. *Hit* —5F **15**
St Nicholas Pk. —4A **24**
St Olives. *Stot* —3E **5**
St Pauls Ct. *Stev* —2D **30**
St Peter's Av. *Arl* —2A **4**
St Peters Grn. *Hol* —4D **8**
Sale Dri. *Clot C* —2D **12**
Salisbury Rd. *Bald* —2C **12**
Salisbury Rd. *Stev* —5A **24**
Sanderling Clo. *Let* —3E **11**
Sandover Clo. *Hit* —1F **21**
Sandown Rd. *Stev* —6C **24**
Sandy Gro. *Hit* —1D **20**
Sanfoine Clo. *Hit* —5G **15**
Saunders Clo. *Let* —4A **12**
Sax Ho. *Let* —2E **11**
Saxon Av. *Stot* —1F **5**
Saxon Clo. *Let* —2F **11**
Saxon Way. *Bald* —2F **13**
Sayer Way. *Kneb* —6G **31**
Scarborough Av. *Stev* —1C **26**
School Clo. *Stev* —6B **28**
Schoolfields. *Let* —6A **12**
School La. *Ast* —6E **29**
School La. *W'ton* —4C **18**
School Wlk. *Let* —5H **11**
Scott Rd. *Stev* —3B **28**
Second Av. *Let* —5A **12**
Seebohm Clo. *Hit* —4A **14**
Sefton Rd. *Stev* —6B **24**
Senate Pl. *Stev* —4B **24**
Serpentine Clo. *Stev* —5C **24**
Severn Way. *Stev* —4H **23**
Seymour Ct. *Hit* —5D **14**
Shackledell. *Stev* —1D **30**
Shackleton Spring. *Stev* —6A **28**
Shaftesbury Ct. *Stev* —5G **27**
Shaftesbury Ind. Cen. *Let*
—4G **11**
Shannon Clo. *L Ston* —1A **8**
Sharps Way. *Hit* —4E **15**
Sheafgreen La. *Stev* —4D **28**
Shearwater Clo. *Stev* —5D **28**
Sheepcroft Hill. *Stev* —6D **28**
Shelley Clo. *Hit* —6G **15**
Shephalbury Pk. —2E **31**
Shephall. —6A 28
Shephall Grn. *Stev* —1E **31**
Shephall Grn La. *Stev* —1F **31**
Shephall La. *Stev* —2D **30**
(in two parts)
Shephall Vw. *Stev* —4A **28**
Shephall Way. *Stev* —5B **28**
Shepherds La. *Stev* —3B **26**
Shepherds Mead. *Hit* —3C **14**
Sheringham Av. *Stev* —6D **22**
Sherwood. *Let* —3F **11**
Shillington Rd. *Shil & L Ston*
—1A **8**
Shirley Clo. *Stev* —1B **28**
Shoreham Clo. *Stev* —1C **26**
Short La. *Stev* —5E **29**
Shott La. *Let* —5G **11**
Siccut Rd. *L Wym* —3A **22**
Siddons Rd. *Stev* —3C **28**
Silam Rd. *Stev* —6G **23**
Silkin Ct. *Stev* —6D **28**
Silkin Way. *Stev* —4F **27**
Silverbirch Av. *Stot* —1F **5**
Silver Ct. *Hit* —5C **14**
Simpson Dri. *Bald* —3D **12**

Simpsons Ct. *Bald* —3D **12**
Sinfield Clo. *Stev* —4A **28**
Sish Clo. *Stev* —3F **27**
(in two parts)
Sish La. *Stev* —3F **27**
Sisson Clo. *Stev* —1G **31**
Six Hills Way. *Stev* —6E **27**
Sixth Av. *Let* —5A **12**
Skegness Rd. *Stev* —1C **26**
Skipton Clo. *Stev* —3D **30**
Skylark Corner. *Stev* —6D **28**
Sleaps Hyde. *Stev* —2G **31**
Slip La. *Old K* —6A **30**
Sloan Ct. *Stev* —3H **27**
Snailswell. —6G 9
Snailswell La. *Ickl* —6G **9**
Snipe, The. *W'ton* —4B **18**
Sollershott E. *Let* —1B **16**
Sollershott Hall. *Let* —1B **16**
Sollershott W. *Let* —1A **16**
Sorrel Gth. *Hit* —1E **21**
Souberie Av. *Let* —6F **11**
South Clo. *Bald* —4D **12**
Southend Clo. *Stev* —2F **27**
Southern Av. *Henl* —6D **2**
Southern Way. *Let* —2E **11**
Southfields. *Let* —2F **11**
Southgate. *Stev* —5F **27**
South Hill Clo. *Hit* —1E **21**
South Pl. *Hit* —5B **14**
South Rd. *Bald* —4D **12**
Southsea Rd. *Stev* —1D **26**
South Vw. *Let* —6F **11**
Southwark Clo. *Stev* —6B **24**
Southwold Clo. *Stev* —3C **26**
Sparhawke. *Let* —2G **11**
Sparrow Dri. *Stev* —5D **28**
Speke Clo. *Stev* —4D **28**
Spellbrooke. *Hit* —5B **14**
Sperberry Hill. *St I* —5F **21**
Spinney Clo. *Hit* —1F **21**
Spinney, The. *Bald* —4C **12**
Spinney, The. *Stev* —2D **28**
Sports Cen. —5F **15**
(Hitchin)
Spreckley Clo. *Henl* —4D **2**
Spring Dri. *Stev* —3E **31**
Spring Rd. *Let* —5E **11**
Springshott. *Let* —6E **11**
Spurrs Clo. *Hit* —6F **15**
Spur, The. *Stev* —5G **27**
Standalone Farm Cen. —3D **10**
Standhill Clo. *Hit* —1D **20**
Standhill Rd. *Hit* —1D **20**
Stane Fld. *Let* —2D **16**
Stane St. *Bald* —2E **13**
Stanley Rd. *Stev* —1B **28**
Stanmore Rd. *Stev* —2F **27**
Station App. *Hit* —5E **15**
Station App. *Kneb* —6D **30**
Station Pde. *Let* —5F **11**
(off Station Rd.)
Station Pl. *Let* —5F **11**
Station Rd. *Arl* —5A **4**
Station Rd. *Kneb* —6D **30**
Station Rd. *Let* —5F **11**
Station Rd. *L Ston* —1A **8**
Station Rd. *Odsey* —2D **12**
Station Ter. *Hit* —5E **15**
Station Way. *Let* —5E **11**
Sterling Ct. *Stev* —5F **27**
Stevenage. —4F 27
Stevenage Borough F.C.
—1C **30**
Stevenage Bus. & Ind. Pk.
Stev —5C **24**
Stevenage Enterprise Cen.
Stev —2D **26**

Stevenage Leisure Pk. *Stev*
—5E **27**
Stevenage Mus. —4G **27**
Stevenage Rd. *Hit* —2D **20**
Stevenage Rd. *L Wym & Stev*
—3G **21**
Stevenage Rd. *St I* —4F **21**
Stevenage Rd. *Stev & Kneb*
—3D **30**
Stevenage Rd. *Walk* —1E **29**
Stevenage Swimming Cen.
—4F **27**
Stirling Clo. *Hit* —6G **15**
Stirling Clo. *Stev* —4H **31**
Stobarts Clo. *Kneb* —5D **30**
Stockens Dell. *Kneb* —6G **31**
Stockens Grn. *Kneb* —6G **31**
Stonecroft. *Kneb* —6D **30**
Stoneley. *Let* —2F **11**
Stonnells Clo. *Let* —3F **11**
Stony Cft. *Stev* —3G **27**
Storehouse La. *Hit* —1D **20**
Stormont Rd. *Hit* —4D **14**
Stotfold. —3F 5
Stotfold Green. —1F 5
Stotfold Rd. *Arl* —1A **4**
Stotfold Rd. *Bald* —1H **5**
Stotfold Rd. *Let* —4C **10**
Strafford Ct. *Kneb* —6E **31**
Strathmore Av. *Hit* —4C **14**
Strathmore Ct. *Hit* —4D **14**
Straw Plait W. *Arl* —5H **3**
Stuart Dri. *Hit* —6F **15**
Sturgeon Rd. *Hit* —3F **15**
Sturgeon's Way. *Hit* —3F **15**
Sturrock Way. *Hit* —1G **15**
Such Clo. *Let* —4H **11**
Summerfield Ct. *Stot* —3E **5**
Sunnyside. —2E 21
Sunnyside Rd. *Hit* —2E **21**
Sun St. *Bald* —3C **12**
Sun St. *Hit* —1C **20**
Sutcliffe Clo. *Stev* —1A **28**
Swale Clo. *Stev* —4A **24**
Swangley's La. *Kneb* —6E **31**
Swanstand. *Let* —1F **17**
Sweyns Mead. *Stev* —2C **28**
Swift Clo. *Let* —3E **11**
Swinburne Av. *Hit* —4A **14**
Swingate. *Stev* —4F **27**
Sycamore Clo. *St I* —3E **21**
Sycamores, The. *Bald* —3C **12**
Symonds Green. —2C 26
Symonds Grn. La. *Stev* —3C **26**
Symonds Grn. Rd. *Stev* —2C **26**
(in two parts)
Symonds Rd. *Hit* —5B **14**

Tabbs Clo. *Let* —4H **11**
Tabor Ct. *Let* —4D **10**
Tacitus Clo. *Stev* —1C **28**
Talbot St. *Hit* —5B **14**
Talbot Way. *Let* —2H **11**
Talisman St. *Hit* —6G **15**
Tall Trees. *St I* —3E **21**
Tamar Clo. *Stev* —4A **24**
Tarrant. *Stev* —6D **22**
Tates Way. *Stev* —5D **22**
Tatlers La. *Ast E* —4D **28**
Taylor's Hill. *Hit* —1D **20**
Taylor's Rd. *Stot* —1F **5**
Taywood Clo. *Stev* —1F **31**
Tedder Av. *Henl* —4D **2**
Tees Clo. *Stev* —4H **23**

Telford Av. *Stev* —3B **28**
Templar Av. *Bald* —5D **12**
Temple Clo. *Hit* —3A **20**
Temple Ct. *Bald* —5D **12**
Temple End. —3A 20
Temple Gdns. *Let* —3A **12**
Tene, The. *Bald* —3D **12**
Tennyson Av. *Hit* —1G **21**
Thatchers End. *Hit* —5H **15**
Theobold Bus. Cen. *Hit*
—2E **15**
Third Av. *Let* —4A **12**
Thirlmere. *Stev* —5C **24**
Thistley La. *Gos* —5D **20**
Thornbury Clo. *Stev* —3E **31**
Three Star Cvn. Pk. *L Ston*
—6C **2**
Thristers Clo. *Let* —2D **16**
Thurlow Clo. *Stev* —5F **23**
Thurnall Clo. *Bald* —3D **12**
Tilehouse St. *Hit* —1C **20**
Tillers Link. *Stev* —1E **31**
Times Clo. *Hit* —3B **14**
Tintern Clo. *Stev* —4E **31**
Tippet Ct. *Stev* —6F **27**
Titmore Ct. *Hit* —5A **22**
Titmore Green. —5A 22
Titmus Clo. *Stev* —3G **27**
Todd's Green. —5C 22
Torquay Cres. *Stev* —2D **26**
Totts La. *Walk* —6H **25**
Tourist Information Cen.
(Stevenage) —5F **27**
Tower Clo. *L Wym* —4B **22**
Towers Rd. *Stev* —5F **27**
Towers, The. *Stev* —5F **27**
Town Gardens. —4G **27**
Townley. *Let* —1F **17**
Town Sq. *Stev* —4F **22**
Trafford Clo. *Stev* —6G **23**
Traherne Clo. *Hit* —2D **20**
Trajan Ga. *Stev* —6D **24**
Trent Clo. *Stev* —1G **27**
Trevor Rd. *Stev* —5E **15**
Triangle, The. *Hit* —1D **20**
Trigg Ter. *Stev* —3G **27**
Trinity Pl. *Stev* —3F **27**
Trinity Rd. *Stev* —3E **27**
Trinity Rd. *Stot* —2F **5**
Tristram Rd. *Hit* —3E **15**
Truemans Rd. *Hit* —3B **14**
Trumper Rd. *Stev* —6G **23**
Truro Ct. *Stev* —5H **23**
Trust Ind. Est. *Hit* —2E **15**
Tudor Clo. *Stev* —6E **23**
Tudor Ct. *Hit* —1B **20**
Turf La. *G'ley* —3D **22**
Turner Clo. *Stev* —5E **23**
Turnpike La. *Ickl* —2B **14**
Turpin's Ri. *Stev* —2D **30**
Turpin's Way. *Bald* —4D **12**
Twinwoods. *Stev* —5H **27**
Twitchell, The. *Bald* —3D **12**
(in two parts)
Twitchell, The. *Stev* —2F **27**
Tye End. *Stev* —3F **31**

Ullswater Clo. *Stev* —5C **24**
Underwood Rd. *Stev* —5E **23**
Unwin Clo. *Let* —1A **16**
Unwin Pl. *Stev* —6C **28**
Unwin Rd. *Stev* —6C **28**
Uplands. *Stev* —1D **28**
Uplands Av. *Hit* —1F **21**
Up. Maylins. *Let* —2E **17**
Upper Sean. *Stev* —6A **28**
Upper Stondon. —1A 8

Upperstone Clo. *Stot* —3F **5**
Up. Tilehouse St. *Hit* —6C **14**

Valerian Way. *Stev* —6D **24**
Vallansgate. *Stev* —2F **31**
Valley Rd. *Let* —4D **10**
Valley Way. *Stev* —1D **30**
Vardon Rd. *Stev* —1G **27**
Vaughan Rd. *Stot* —3E **5**
Verity Way. *Stev* —6A **24**
Verulam Rd. *Hit* —5D **14**
Vicarage Clo. *Arl* —1A **4**
Victoria Clo. *Stev* —2F **27**
Victoria Dri. *Stot* —4G **5**
Victoria Way. *Stev* —5B **14**
View Point. *Stev* —4C **26**
Vincent. *Let* —1E **17**
Vincent Ct. *Stev* —1D **26**
Vines, The. *Stot* —3E **5**
Vinters Av. *Stev* —4H **27**

Wadnall Way. *Kneb* —6G **31**
Walden End. *Stev* —5G **27**
Walkern. —6H 25
Walkern Rd. *B'tn* —6G **29**
Walkern Rd. *Stev* —2E **27**
(in two parts)
Walkers Ct. *Bald* —3D **12**
(off High St.)
Wallace Way. *Hit* —3E **15**
Wallington Rd. *Bald* —3E **13**
Walnut Av. *Bald* —4E **13**
Walnut Clo. *Hit* —1E **21**
Walnut Clo. *Stot* —3F **5**
Walnut Tree Clo. *Stev* —5D **28**
Walnut Way. *Ickl* —1C **14**
Walpole Ct. *Stev* —4G **31**
Walsham Clo. *Stev* —4G **31**
Walsh Clo. *Hit* —6B **14**
Walsworth. —4F 15
Walsworth Rd. *Hit* —6D **14**
Waltham Rd. *Hit* —1D **20**
Wansbeck Clo. *Stev* —4A **24**
Warners Clo. *Stev* —6B **28**
Warren Clo. *Let* —4D **10**
Warren La. *Clot* —4F **13**
Warren Rd. *Clot* —6H **13**
Warren's Green. —1D 24
Warrensgreen La. *W'ton* —2C **24**
Warwick Rd. *Stev* —3C **28**
Watercress Clo. *Stev* —4D **23**
Waterdell La. *St I* —4D **20**
Water La. *Hit* —4D **14**
Waterloo La. *Hol* —5C **8**
Waterlow M. *L Wym* —4A **22**
Waters Ct. *Stot* —3E **5**
Watton Rd. *Kneb & Stev* —6E **31**
Waverley Clo. *Stev* —3E **31**
Waysbrook. *Let* —1D **16**
Waysmeet. *Let* —1D **16**
Weavers Way. *Bald* —3E **13**
Webb Clo. *Let* —6A **12**
Webb Ri. *Stev* —2H **27**
Wedgewood Rd. *Hit* —6F **15**
Wedgwood Ct. *Stev* —5C **24**
Wedgwood Ga. Ind. Est. *Stev*
—5B **24**
Wedgwood Pk. *Stev* —5C **24**
Wedgwood Way. *Stev* —6B **24**
Wedmore Rd. *Hit* —1E **21**
Wedon Way. *Byg* —5G **7**
Weedon Clo. *Henl* —4E **3**
Wellfield Ct. *Stev* —6B **24**
Wellingham Av. *Hit* —4C **14**
Wellington Rd. *Stev* —4C **28**
Wenham Ct. *Walk* —1H **29**